# Super

# Jan

Harmen van Straaten

# Super
# Jan

Pimento

*Voor Super René Hollaers*

www.pimentokinderboeken.nl

www.harmenvanstraaten.nl

Tekst © 2009 Harmen van Straaten

Illustraties omslag en binnenwerk © 2009 Harmen van
Straaten

© 2009 Harmen van Straaten en Pimento, Amsterdam

Omslagontwerp en logo Mariska Cock

Opmaak binnenwerk Peter de Lange


ISBN 978 90 499 2350 1

NUR 282


Pimento is een imprint van FMB uitgevers,
onderdeel van Foreign Media Group

## Inhoud

Een bijzondere avond   9

1   Een verschrikkelijke verjaardag   13
2   Naar school   18
3   De stinkstraf   24
4   Een vreemd feestje   31
5   Miss Poes   37
6   Ruimtewezens   44
7   De jacht wordt geopend   49
8   De menselijke kanonskogel   54
9   De vliegende beer   62
10  Beren achter bomen   70
11  Super Jan keert terug   75
12  Een plan   83
13  Clown Peppino   87
14  In het nieuws   92
15  Het gemene plan   96
16  De kraak van de eeuw   105
17  Een plan voor Jan   110
18  De valstrik   115
19  Het slurpmonster   121
20  Alles is weer gewoon   125

de twee zangjuffen

Boris Grijpgraag

de vader van Ja...

Bartolomeus Lont

Stientje

Lelijke Luci...

Mevrouw Stromboli

Ernest Bartholomeus Lont senior.

Gouden Pietje

de Moeder van Jan

Super Jan

Gluiperige Gerrit Grijp

meneer Stromboli

Ruben Haas

...ge Lotte

## Een bijzondere avond

Het was een bijzondere avond.
Er werd een sterrenregen verwacht.
*Als u een wens heeft, doe hem dan nu,*
stond met grote letters in de krant.
*Er is vast wel een ster bij die u geluk
brengt.*
Toen de vrouw de sterren zag vallen,
deed ze wel duizend wensen.
Later die avond werden de man en de
vrouw opgeschrikt door een bons op de
deur.
'Wie kan dat nou weer zijn?' zei de man.
Hij legde zijn kruiswoordpuzzel opzij.
Er klonk weer een bons, nog harder dan
de vorige.
De vrouw schrok er een beetje van.
Haar man liep naar de voordeur.
De kille winterwind blies in zijn gezicht.
Op de stoep lag een bundeltje doeken.
'Krijg nou wat,' hoorde de vrouw hem
zeggen.
'Kom eens kijken.'
Samen bogen ze over het pakketje.
Toen zagen ze dat er een baby in zat.
'Voorzichtig,' zei de vrouw, 'anders
wordt hij wakker.'
Ze keek naar boven, naar de sterren.
'Dus toch,' zei ze.
'Wat?' vroeg de man.

9

'Ik zag de vallende sterren en toen wenste
ik een baby.'
De man keek haar aan.
'Bij hoeveel vallende sterren heb je dat al
wel niet gewenst?
Hoeveel muntjes heb je al niet in
wensputten gegooid?
Hoeveel waarzegsters heb je niet om
raad gevraagd?'
'De aanhouder wint,' zei de vrouw.
'Na al die jaren is mijn wens
eindelijk vervuld.
We hebben onze eigen baby.'
'Die baby is echt niet uit de
hemel komen vallen,' zei de man.
'Hij moet van iemand zijn.
Misschien moeten we ermee naar de politie.'
De vrouw keek hem even aan.
'Ik laat hem echt niet achter bij de
gevonden voorwerpen.
Kunnen we hem niet gewoon houden?
We hebben hem toch eerlijk gevonden.'
'Misschien is-ie wel gestolen,' zei de man.
'We kunnen toch wachten tot er iets
over in de krant staat of op de televisie
komt?'
De man dacht even na.
'Goed, ik koop morgen alle kranten die
er zijn.'
'En ik hou de televisie de hele dag aan,'
zei de vrouw.

De man knikte.
'Doen we.'
Toen liepen ze naar binnen.

De volgende dag kocht de man alle
kranten.
Maar er stond niets in over een
vermiste baby.
De vrouw had in elke kamer een tv
aanstaan.
Ze rende van het ene toestel naar het
andere.
Maar er was geen nieuws over het
jongetje, dat rustig in zijn mandje lag te
slapen.
Na een week zei de man: 'Ik kan geen
krant meer zien.'
'Wat dacht je van mij?' riep de vrouw.
'Ik zie helemaal scheel van het
televisiekijken.'

Ze stonden om het mandje gebogen en
keken naar de baby.
'Weet je wat?' zei de man.
'Nou?'
De vrouw keek hem vragend aan.
'We houden hem.'
'Echt?'
'Echt,' zei de man.
'Hoe zullen we hem dan noemen?'
'Jan,' zei de man.

# 1 Een verschrikkelijke verjaardag

Jan kijkt door het raam.
Morgen is hij jarig.
Dan wordt hij acht jaar.
De hemel ziet donkerblauw, er is geen
wolkje aan de lucht.
De maan schijnt door de bomen.
De kale bomen zien eruit als monsters.
Het lijkt alsof ze zo met hun klauwen
kunnen toeslaan en hun prooi kunnen
grijpen.
Een straaltje maanlicht valt precies op
de poster van Superman.
Die hangt boven Jans bed.
Jan spaart alles van Superman.
Hij heeft zelfs een Supermanpak.
Jan wilde dat hij net zo sterk en
dapper was als Superman.
Maar hij is juist vaak bang.
Vooral voor Bartolomeus Lont,
de grootste pestkop van de school.
Jan zucht.

Acht is mijn geluksgetal, denkt hij.
Hij schrijft met zijn vinger een acht op
het beslagen raam.
Terwijl hij dat doet, ziet hij een regen
van vallende sterren.
Een paar tellen lang verlichten ze het huis
en de tuin.

Als je een vallende ster ziet, mag je een
wens doen.
Dat weet hij van zijn moeder.
'Ik heb jou gevraagd toen ik een paar
vallende sterren zag.
En die wens is uitgekomen.
Want een uurtje daarna lag je op de
stoep.'
'Zo snel?' had Jan vaak gevraagd.
'Ja,' antwoordde zijn moeder dan altijd,
'bijna net zo snel als het licht.'

Jan doet zijn ogen dicht.
'Ik wil net zo sterk en dapper zijn als
Superman,' fluistert hij.
Dan doet hij zijn ogen weer open.
Een ster valt traag langs de hemel naar
beneden.
Jan volgt de ster met zijn ogen, net
zolang tot de ster is gedoofd.

Als hij de volgende morgen beneden
komt, staat er midden in de kamer een
groot pak.
Zijn vader en moeder zitten op de bank
te wachten.
'Gefeliciteerd!' roepen ze.
Ze blazen op een toeter en gooien
slingers naar hem.
Op de tafel staat een enorme taart met
acht brandende kaarsjes.

Jan wil het pak uitpakken.
'Eerst blazen!' roepen zijn vader en
moeder.
Jan haalt diep adem en met zijn ogen dicht
blaast hij alle kaarsjes uit.
Als hij zijn ogen weer opendoet, ziet hij dat
de slinger boven de taart in brand staat.
Jan haalt opnieuw adem, nu om het vuur
uit te blazen.
Hij blaast zo hard als hij kan.
'Help!' hoort hij.
'Help!'
Jan kijkt om zich heen.
De kamer ziet eruit alsof er een tornado
heeft huisgehouden.
De bank waar zijn vader en moeder net
nog op zaten, ligt op zijn kop.

Twee paar benen steken erbovenuit.
Niets in de kamer lijkt nog op zijn
plaats te staan.
Jan rent naar de bank.
Hij probeert hem van zijn plaats te
krijgen.
Met moeite krijgt hij de bank weer
overeind.

Zijn moeder sluit hem in zijn armen.
'Dat krijg je ervan,' zegt ze, 'als je zonder
sjaal naar buiten gaat.
Wil je voortaan je hand voor je mond
houden als je moet niezen?
Kijk nou eens naar je cadeau.'
In het pak zat een fiets.
Het metaal is door de kracht van het
blazen helemaal verwrongen.
Zijn vader kijkt er een beetje beteuterd
naar.
De taart is in stukken tegen de muur
geplakt.
Jan staat er een beetje onhandig bij.
Heeft hij dat gedaan?
Hij wilde alleen maar de kaarsjes uitblazen.
Dit is toch niet normaal?
Of zou het iets met zijn wens en de
vallende sterren te maken hebben?

## 2  Naar school

Jan staat bij het hek.
Hij heeft een trommeltje met rode
toverballen bij zich.
Die gaat hij straks op school
trakteren.
Zijn moeder heeft hem dik ingepakt.
Ze heeft zijn rode sjaal wel drie keer
om zijn nek gewikkeld.
'Dit willen we niet
nog eens meemaken,' zei ze.
'Nog een keer zo'n kou en je blaast het
hele huis omver.'
Voorzichtig gluurt Jan om de hoek van
de straat.
In de verte ziet hij de toren van Lont &
Co Brandverzekeringen.
Er staat een grote metalen bliksemschicht
op het dak.
Jan rilt een beetje.
Als hij aan Lont denkt, denkt hij aan
Brute Bartolomeus Lont.
En natuurlijk ook aan zijn twee vrienden:
Gluiperige Gerrit Grijp en Lelijke Lucie
Lijm.
De twee vrienden van Bartolomeus.
Ze zitten een groep hoger dan hij, maar
ze delen dezelfde juf en hetzelfde
klaslokaal.
Op het schoolplein zijn zij de baas.

Elke week zoeken ze een ander om te
pesten.
Jan slikt.
Vandaag gaan ze weer een nieuw
slachtoffer kiezen.
Hij wilde dat hij thuis had kunnen
blijven.
Was de dag maar voorbij.
Jan kijkt naar het kantoor van Lont &
Co.
Hij gluurt weer om de hoek van de
straat.
Hij houdt zijn trommel stevig vast.
Daar staan Jimmy Wezel, Ruben Haas en
Bange Lotte ook te turen.

'Hoi,' fluister-roept Jan.
Jimmy, Ruben en Lotte zwaaien zo
onopvallend mogelijk terug.
Voorzichtig steekt Bange Lotte over.
Daarna sprinten de andere twee ook naar
de overkant.
Jan rent naar hen toe.
Elke dag spreken ze hier af.
Ze nemen steeds een andere route om de
vijand te ontlopen.
Met hun rug schuiven ze langs muren.
Ze kruipen door struiken met doorns en
spinnenwebben.
Ze gaan door stikdonkere stegen.
Alles met gevaar voor eigen leven.
Stel je voor dat in zo'n vochtige steeg een
kolonie reuzenspinnen leeft!
En stel je voor dat ze in geen maanden
een achtjarige jongen hebben gegeten!
Die gedachten gaan door het hoofd van
Jan.
Laat hij nu net vandaag acht jaar zijn
geworden.
Dat zou die reuzenspinnen goed
uitkomen.
Jan twijfelt of hij de steeg in zal gaan.
Is dat wel verstandig?
Jimmy Wezel, Ruben Haas en Bange
Lotte staan vlak achter hem.
'Is er w-wat?' vraagt Lotte.
Haar stem trilt een beetje.

Jimmy en Ruben wachten met knikkende
knieën.
'Nee,' zegt Jan.
Hij houdt zijn trommeltje met rode
toverballen nog steviger tegen zich aan.
Voorzichtig schuifelen ze door de steeg.
Ze kunnen het eind al zien.
Als ze daar zijn, hoeven ze alleen nog
maar over te steken.
Dan zijn ze bij de school.
En hebben ze weer weten te ontsnappen
aan de bende van Brute Bartolomeus.
Maar zover is het nog niet.
De steeg is lang, heel, heel erg lang.
Het lijkt ook steeds donkerder te
worden.

Opeens klinkt er een afgrijselijke gil.
Een gil die door merg en been gaat.
Alsof een schoolkrijtje een piepend geluid
op het bord maakt.
Ze staan met zijn vieren als verlamd in
de steeg.
'Zombies,' slist Jimmy Wezel.
'Die komen van de begraafplaats.'
Zijn gezicht ziet spierwit.
Er klinkt een tweede gil.
Die is nog erger dan de vorige.
Jan laat van schrik de trommel met
toverballen uit zijn handen vallen.
Door de val vliegt de deksel ervanaf.
De toverballen stuiteren alle kanten op.
'Rennen!' gilt Bange Lotte.Als een speer
gaat ze ervandoor.
De anderen kunnen haar bijna niet
bijhouden.
Ze horen voetstappen achter zich
aankomen.
Niet omkijken, denkt Jan.
Als je een zombie aankijkt, kun je in een
steen veranderen.
Of nog erger: ook een zombie worden!
Maar dan moet je eerst door een zombie
gebeten worden.
Jan gaat nog harder lopen.
Ze zijn nu bijna bij het eind van de steeg.
Opeens voelt hij een hand op zijn
schouder.

Slijmzombie

Jan krimpt in elkaar.
Dan hoort hij een vals lachje achter zich.
Hij herkent dat lachje uit duizenden.
Het is de lach van Brute Bartolomeus
Lont.
De plaag van het schoolplein, de straat
en de stad.
'Hebbes!' zegt Bartolomeus.
Gluiperige Gerrit Grijp en Lelijke Lucie
Lijm staan naast hem.
O help, denkt Jan.
Waarom moet dit nu net op mijn
verjaardag gebeuren?

## 3   *De stinkstraf*

Lucie heeft Jans trommeltje waarin nog
geen minuut geleden de rode toverballen
zaten.
'Waarom heb jij dat trommeltje bij je?'
vraagt ze vals.
'Voor mijn verjaardag,' fluistert Jan
zachtjes.
Bartolomeus en Gerrit staan vlak voor
hem.
Hij kan hun adem op zijn gezicht voelen.
'Horen we dat goed?' vraagt Gluiperige
Gerrit.
'Hebben jullie soms een uitnodiging voor
zijn feestje gekregen?'

Bartolomeus kijkt
Jan boos aan.
Lucie schudt
haar hoofd, maar
kan door de grote
toverbal in haar
mond niet antwoorden.
'Je wilde ons er zeker
niet bij hebben, hè?'
zegt Bartolomeus.
Jan durft niks te zeggen.
Zijn drie vrienden
staan aan het einde van de steeg op hem
te wachten.
Met grote, bange ogen kijken ze naar
Bartolomeus.
'Wat doen we met kleine jongetjes die
ons overslaan?'
Bartolomeus knijpt zijn neus dicht.
'Het stinkt hier naar riolen en putjes.'
Lucie en Gerrit houden hun neus nu ook
dicht.
Jan krimpt in elkaar.
Stinkstraf is de allerergste straf die je
kunt krijgen.
Dan moet je de hele week in de hoek van
het schoolplein blijven staan.
Niemand mag bij je in de buurt komen.
Anders krijgen die ook de stinkstraf.
Jan blaast voorzichtig naar Bartolomeus.
Bartolomeus ziet hem blazen.

'Wat is er, klein opdondertje?
Wil je me omverblazen?
Wie denk je dat je bent?
Superman, of zo?'
'Super Jan, zul je bedoelen!' roept Lucie.
'De sterkste dwerg van het heelal,' zegt
Gerrit lachend.
'Misschien kunnen ze je wat plantenmest
geven.
Daar ga je vast wel van groeien.'
'Lekkere stinkmest,' zegt Lucie.
Ze knijpt haar neus weer dicht.
Met haar andere hand gooit ze het
trommeltje over naar Bartolomeus.
Die werpt het naar Gerrit.

'Super Jan, pak het dan, als je kan,' zingt
Lucie.
Jan probeert het trommeltje te pakken.
Maar dan steekt Bartolomeus zijn voet
uit.
Jan valt languit op de grond.
Zijn handen zijn geschaafd.
De tranen springen in zijn ogen.
Een man steekt zijn hoofd uit het raam.
'Wat is hier aan de hand?' roept hij met
zware stem.
Bartolomeus en zijn vrienden zetten het
op een lopen.
Jan is alweer opgestaan.
Hij raapt het trommeltje op en doet de
rode toverballen er weer in.
De man komt hem helpen.
'Was je gevallen?' vraagt hij.
Jan knikt.
'Of hadden ze je laten struikelen?'
Jan schudt snel zijn hoofd.
Straks gaat de man naar school.
Hij kan maar beter niks verklappen.
Anders duurt de stinkstraf nog langer.
'Ik was gestruikeld,' zegt hij gauw.
In de verte slaat de torenklok.
Hij moet opschieten.
De school gaat beginnen.
'Bedankt,' zegt hij tegen de man.
Dan loopt hij de steeg uit.

Boven hem klinkt gemiauw.
Op een muur ligt een dikke, rode poes.
Het is Stientje, de poes van de twee
zangjuffen.
Zijn buurvrouwen van drie huizen
verder.
Wat doet Stientje zo ver uit de buurt?
Ze springt naar beneden.
'Miauw,' zegt ze weer.
Het lijkt wel alsof ze hem een knipoog
geeft.
Maar dat kan toch niet?
Hij moet het zich verbeeld hebben.
Jan aait haar over haar kopje.
Dan draait Stientje zich
om en loopt met
zwaaiende staart weg.

Jan staat bij het zebrapad.
Aan de overkant is de school.
Hij denkt aan de taart van vanochtend.
Ik dacht dat acht geluk zou brengen,
denkt hij somber.
En dat mijn wens eindelijk was
uitgekomen.
Dat ik net zo sterk was als Superman.
Nou, mooi niet dus.

## 4  Een vreemd feestje

Als Jan die middag thuiskomt, staat er
een nieuwe, rode fiets voor hem klaar.
Hij durft hem bijna niet aan te raken.
'Wat ben je stil,' zegt zijn moeder nog.
'Je wordt toch niet ziek, hè?'
Ze voelt even aan zijn voorhoofd.
Jan maakt voorzichtig een rondje op zijn
fiets.
Die avond krijgt hij zijn lievelingseten,
zoals altijd als hij jarig is.
Kip met appelmoes en gebakken
aardappelen.
Als toetje krijgt hij vanille-ijs met warme
chocoladesaus.
Maar Jan krijgt geen hap door de keel.
Hij moet de hele tijd aan de taart van die
ochtend denken.
Na het eten komt er bezoek.
De twee zangjuffen van drie huizen
verder.
De buurman van de overkant.
En meneer en mevrouw Stromboli, de
buren naast hen.

De moeder van Jan heeft een nieuwe
taart gebakken.
Ze zet hem op de tafel.
'Moeten er geen kaarsjes op?' vraagt
zangjuf 1.
'Nee, nee, nee!' roept de moeder van Jan
angstig.
'Jan heeft een beetje last van zijn keel en
die moet hij niet overbelasten.'
Ze knoopt hem nog een sjaal om zijn
hals.
Zangjuf 2 geeft Jan een pakje.
Jan scheurt het papier eraf en kijkt
verbaasd naar het cadeau.
Het is een bivakmuts.
'Zelf gebreid,' zegt zangjuf 1 trots.
'Komt nu wel handig uit, hè, nu je een
kou hebt,' zegt zangjuf 2.
De buurman van de overkant heeft een
gedicht voor hem geschreven.
In het gedicht komt het getal acht wel
achtentachtig keer voor.
Meneer en mevrouw Stromboli doen een
dans voor Jan.
Ze hebben hun oude danskostuums
aangetrokken.
Vroeger werkten ze voor een reizend
circus.
'Zal ik mijn act van het slangenmeisje
voor je doen?' vraagt mevrouw
Stromboli als ze klaar is met dansen.

'Nee, nee, nee, dat is niet nodig,' zegt de
vader van Jan snel.
De vorige keer had ze uren met haar
benen in de knoop gezeten.
Het duurde dagen voordat ze weer een
beetje gewoon kon lopen.

'Laat mij dan in elk geval wat van mijn toverkunst zien,' zegt meneer Stromboli.
Hij verheft zijn stem.
'Hooggeëerd publiek, mag ik uw aandacht voor maestro Stromboli.
Hij kan lepels met zijn gedachten buigen.
Bloemen uit neuzen toveren en weer laten verdwijnen.'
Bij het horen van lepels kijkt de moeder van Jan nerveus.
Ze moet denken aan de vorige keer.
Toen had hij borden op stokjes laten draaien.
Niet één bord had het overleefd.
Meneer Stromboli pakt een lepel en staart ernaar.
Maar er gebeurt niets.
'Buig!' roept hij een beetje in paniek.
'Buig!'
Zweetdruppeltjes staan op zijn voorhoofd.
Zijn gezicht kleurt vuurrood en zijn handen beven.
'Buig!' roept hij met overslaande stem.
Hij kijkt hulpeloos om zich heen.
Jan kijkt ook naar de lepel.
Hij heeft een beetje medelijden met

meneer Stromboli.
Zijn toverkunsten mislukken altijd.
Kon hij hem maar helpen.
Buig, denkt Jan.
Hij voelt zijn oogleden kriebelen en
op dat moment buigt de lepel van
meneer Stromboli.
Iedereen klapt.
'Wat bent u
toch knap,
meneer Stromboli,'
zegt zangjuf 2.
Meneer Stromboli wuift
verlegen met zijn hand.
'Je hebt het in je vingers of niet,'
antwoordt hij.
'Hij is ermee geboren,' fluistert mevrouw
Stromboli, tegen niemand in het
bijzonder.
Maar Jan weet bijna zeker dat hij het
was die de lepel heeft laten buigen.
Niet meneer Stromboli, maar híj.
Is zijn wens dan toch uitgekomen?
Maar waarom werkte het niet
vanochtend bij Bartolomeus?
Toen kon hij wel een beetje kracht
gebruiken.
Meneer Stromboli heeft inmiddels een
nieuwe lepel gepakt.
Maar de moeder van Jan grijpt in.
'Het is bedtijd voor onze Jan.

Bovendien wil ik een beetje zuinig zijn op
mijn lepels.
Het zijn namelijk erfstukken.'
Bij de deur zwaaien Jan en zijn vader en
moeder de gasten uit.
De twee zangjuffen zingen nog
een afscheidsaria.
'Wat een mooi
verjaardagsfeest en wat
fijn dat we erbij zijn
geweest.'

Voordat Jan gaat slapen
kijkt hij nog even door
het raam naar buiten.
Het is bewolkt.
Er is geen enkele
ster te zien.
Met een zucht
zet Jan een
streepje op de
wand naast zijn bed.
Daarna kruipt hij
onder de dekens.
Dag één van de stinkstraf is voorbij.
Nog vier dagen te gaan.

## 5 Miss Poes

De volgende dag stapt Jan met tegenzin
de deur uit.
Vandaag is dag twee van de stinkstraf.
Aan zijn vrienden heeft hij niks.
Hij staat er helemaal alleen voor.
Het is een gure ochtend.
Door de mist zijn de huizen aan de
overkant bijna niet te zien.
Opeens hoort hij een stem.
'Help! Help!'
Jan kijkt om zich heen, maar hij ziet
niemand.
Waar komt die stem vandaan?
'Kun je niet uit je doppen kijken?'
hoort hij de stem zeggen.
'Ik zit naast je op de vuilnisbak.'
Jan kijkt naar de ijzeren afvalbak.
Boven op de deksel zit Stientje,
de dikke, rode huiskat van de
twee zangjuffen.
Jan kijkt met grote ogen naar de
rode poes.
'Heb ik soms iets van je aan
of zo?' vraagt Stientje.
'Of heb je nog nooit een poes
horen praten?'
Jan krabt achter zijn oren.
'Niet echt,' zegt hij verlegen.

'Nou, ik heb geen tijd om met je te
blijven kletsen,' zegt Stientje.
'Mijn vriendin Miss Poes is in gevaar.
Je moet haar helpen.
Ze wordt nu bedreigd door die vreselijke
Bartolomeus Lont.
Schiet op, voor het te laat is.'

'Maar waarom ik?' vraagt Jan.
'Wat kan ik doen?'
'Je kunt meer dan je denkt,' zegt Stientje.
'Toevallig zat ik laatst met dominee
Kater bij jullie op het dak.
We hebben wel vaker een afspraakje.
Ik hoorde je toen een wens fluisteren.
Ik wist meteen dat we grote dingen van
jou kunnen verwachten.

Poezen voelen dat soort dingen aan.
Denk nu maar aan mijn arme vriendin,
dan lukt het vanzelf wel.'
Jan is daar niet zo zeker van.
'Waar zijn ze?' vraagt hij toch maar.
'Bij de krantenkiosk bij de ingang van de
dierentuin,' antwoordt Stientje.
'Vlug, ga ernaartoe en leer die vreselijke
Bartolomeus een lesje dat hij nooit meer
zal vergeten.'
Voordat Jan iets kan zeggen, springt

Stientje met een boog van de afvalbak
over de schutting.
Hij staat er helemaal alleen voor.
Alwééér.
Op een holletje loopt hij in de richting
van de dierentuin.
Als hij daar aankomt, hapt hij even naar
adem.
Bartolomeus houdt Miss Poes in een
rieten mand gevangen.
Hij heeft de mand aan een touw in een
boom gehesen.
Met een stok beweegt hij de mand
heen en weer.

Het gekrijs van Miss Poes
gaat door merg en been.
Jan voelt zijn hart in zijn keel
en borstkas bonken.
Hij kookt van woede.
Dan gebeurt er iets met hem.
Opeens schiet hij de lucht in.
Shit, dikke vette shit, denkt
Jan.
Wat zullen we nou krijgen?
Hij vliegt nu boven
Bartolomeus.
Die zwaait nog steeds
met de stok.
Opeens voelt Jan zich
heel sterk.

Uit zijn jaszak pakt hij de bivakmuts
die de twee zangjuffen
hebben gebreid.
Hij trekt de muts over
zijn hoofd.
Dan duikt hij naar
beneden.
'Hier komt
Super Jan!' brult hij.
Bartolomeus kijkt
verschrikt omhoog.
Zijn mond valt open.
Help! lijkt hij te roepen, maar er komt
geen geluid uit zijn keel.
Opeens zweeft hij door de lucht.
Jan heeft hem bij zijn kraag gepakt en
vliegt nu in grote vaart naar de
dierentuin.
'Alsjeblieft, zet me neer,'
smeekt Bartolomeus.
'Jij je zin,' bromt Jan.
Ze hangen op dat moment
pal boven de leeuwenrots.
'Nee, niet hier!'
gilt Bartolomeus.
Jan doet net alsof hij
hem daar toch wil
achterlaten.
Maar dan vliegen
ze naar de
krokodillenvijver.

Daar dipt hij Bartolomeus
met zijn voeten in het water.
Hij hoort de enorme kaken van
de krokodillen dichtklappen.
Die hebben best wel trek in een
lekker hapje.
Jan hoort Bartolomeus
klappertanden.
Hij vliegt verder en ze komen bij het
verblijf van de wroetzwijnen.
'Vooruit,' roept Jan.
'Alle passagiers uitstappen.'
Hij laat Bartolomeus in
de bak met modder
en zwijnenmest vallen.
*Blub!* doet de bruine drek.
Bartolomeus verdwijnt kopje-onder.
Jan vliegt de dierentuin weer uit en landt
even later veilig achter de krantenkiosk.
Kalm loopt hij naar de boom.
Even later strijkt Miss Poes langs zijn
benen.
Alsof ze hem wil bedanken.
Daarna loopt Jan naar school.
Hij voelt zich zweven boven de grond
terwijl hij toch zijn schoenen op de tegels
zet.

# 6  Ruimtewezens

Jan staat in een hoekje van het
schoolplein.
Alle kinderen doen wat Gluiperige Gerrit
en Lelijke Lucie opdragen.
Ze lopen met dichtgeknepen neus naar
Jan toe.
'Het blijft hier maar stinken!' roepen ze.
'Misschien moet je nog wel een weekje
zo blijven staan.'
Ze wapperen met hun zakdoeken.
Dan doet Jan iets wat hij nog nooit heeft
gedaan.
Hij steekt zijn tong uit.
Gluiperige Gerrit en Lelijke Lucie staan
met open mond.

Je kunt een speld horen vallen.
Jan loopt naar de deur en gaat het
schoolgebouw in.
'Wacht maar tot Bartolomeus komt!' sist
Gluiperige Gerrit hem na.
Jan rilt als hij het klaslokaal in loopt.
Dat hij zomaar zijn tong uitstak!
Alsof hij niet genoeg problemen heeft.

De bel is gegaan en iedereen zit in de
klas.
Behalve Bartolomeus.
Zijn plaats is leeg.
'Kan iemand mij vertellen waar
Bartolomeus is?' vraagt de juf.
Er valt een diepe stilte.
Jan voelt zijn oog een beetje trekken.
Stel je voor dat Bartolomeus hem
herkend heeft.
Wat dan?
Net als ze gaan rekenen, stopt er een
grote, zwarte auto voor de school.

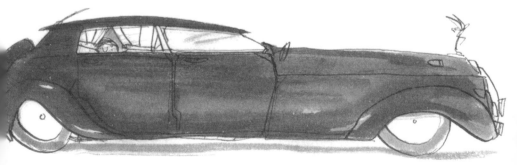

Een chauffeur stapt uit en opent het
achterportier.
Als eerste verschijnt de vader
van Bartolomeus Lont.
Ernest Bartolomeus Lont
senior helpt zijn
vrouw de auto uit.
Ze houden allebei
een zakdoekje
voor hun neus.
Dan stapt
Bartolomeus Lont
uit.
Tussen zijn ouders
in loopt hij het
schoolplein op.
Jan ziet de chauffeur met een
spuitbus in de weer.

Er klinkt een klop op de deur.
Juf loopt ernaartoe.
Ze gaat de gang op en doet de deur
achter zich dicht.
De hele klas kijkt naar de deur.
Wat is er aan de hand?
Dan gaat de deur weer open.
Juf houdt haar hand voor haar neus.
'Bartolomeus heeft een ongelukje gehad.
Gelukkig is het goed afgelopen.'
Bartolomeus komt met gebogen hoofd de
klas in.

Zijn haren zijn gewassen en
zijn kleren zijn schoon.
Maar de stank van de zwijnenpoel
lijkt in zijn poriën te zijn getrokken.
Niemand durft er iets van te zeggen.
Ze proberen allemaal hun neus dicht te
knijpen zonder dat hij het ziet.
Op dat moment komt een jongetje uit
een andere groep de klas in.
Hij snuift.

En hij snuift nog een keer.
'Het stinkt hier,' zegt
hij dan.
'Wat stinkt er zo?'
De hele klas houdt zijn
neus dicht.
'Hij!' antwoordt dan iemand, naar
Bartolomeus wijzend.
'Hij!' roept weer een ander.
Dan wijst de hele klas naar Bartolomeus.
Bartolomeus wordt rood en begint ineens
te knorren als een varken.
Hij staat op, zijn stoel valt om en hij rent
de klas uit.
Gluiperige Gerrit
en Lelijke Lucie
kijken elkaar aan.
Wat is er met hem
gebeurd?

Als Jan die middag thuiskomt, zitten zijn
vader en moeder aan de keukentafel.
Ze kijken met grote ogen naar de
middagkrant.
Op de voorpagina staat een foto van
Bartolomeus Lont.
Hij zit tot zijn middel in de varkensdrek.
'Jan, die jongen zit toch bij jou in de
klas?' zegt zijn vader.
'Moet je horen.'
Hij begint het artikel voor te lezen.

# De Dagelijkse Bode

## MODDERVET

*Van onze speciale verslaggever*
Gistermorgen werd de achtjarige Bartolomeus Lont
aangetroffen in het verblijf
van de wroetzwijnen in
onze mooie dierentuin.
Het is onduidelijk wat hij
daar te zoeken had.
Was het omdat hij thuis niet
genoeg te eten kreeg?

Wilde hij net zoals de zwij-
nen heerlijk in de modder
zijn buikje rond eten?
De ongelukkige erfgenaam
van Lont & Co Brandver-
zekeringen vertelde dat hij
door een ruimtewezen was
ontvoerd.
Zou de jongen ze soms zien
vliegen? De politie heeft de
zaak in onderzoek.

De vader van Jan laat de krant zakken.
'Het is me wat,' zegt de moeder van Jan.
'Ruimtewezens die kinderen ontvoeren.
Het moet niet gekker worden.'

## 7    De jacht wordt geopend

Die nacht doet Jan geen oog dicht.
Hij ligt te woelen in zijn bed, tot zijn
dekens en hij in de knoop liggen.
Heeft Bartolomeus hem echt niet
herkend?
Of denkt hij echt dat hij was ontvoerd
door een ruimtewezen?

Als zijn wekker acht uur later afgaat,
stapt Jan doodmoe uit bed.
Hij schuift de gordijnen open en kijkt
naar buiten.
Het regent pijpenstelen.
Met een slaperig hoofd loopt hij naar de
keuken.
Zijn vader en moeder kijken ontzet naar
de ochtendkrant, die voor hen op tafel
ligt.

Op de foto voorop is duidelijk te zien
hoe Bartolomeus door de lucht zweeft.
Hij wordt door iets of iemand bij zijn
kraag vastgehouden.
De moeder van Jan leest het bericht dat
eronder staat voor.

# De Morgenstond

## VREEMDE RUIMTEWEZENS

*Van onze speciale verslaggever*

De jongen die gisteren in de zwijnenpoel werd aangetroffen, lijkt inderdaad te zijn ontvoerd.

Een oplettende bezoeker maakte deze foto.

Zou het slachtoffer dan toch gelijk hebben?

De feiten liegen er niet om. Is hier sprake van een aanval van ruimtewezens?

Lees verder op pagina 7 voor een interview met de jongen die een aanval van ruimtewezens overleefde.

De moeder van Jan bladert gauw de krant door.
Op pagina zeven staat een grote foto van Bartolomeus Lont.
Vader en moeder Lont poseren naast hem.
Bartolomeus vertelt in het artikel dat hij het vliegende monster verjaagd heeft.
'Met gevaar voor eigen leven,' verzekert zijn moeder.
*We kunnen trots zijn als stad op een jongen zoals Bartolomeus,* schrijft de verslaggever.
De burgemeester heeft een beloning uitgeloofd van vele duizenden euro's voor het vangen van het ruimtewezen.
Meneer Lont vertelt dat hij binnenkort met een speciale verzekering zal komen tegen ruimtewezens.

'De ruimtewezens vormen de grootste
bedreiging voor onze veiligheid,' zegt
Ernest Bartolomeus Lont senior.
'Wij zijn gespecialiseerd in bescherming
bieden tegen risico's.'
*Een man als Ernest Bartolomeus Lont*
*verdient een koninklijke onderscheiding,*
besluit de verslaggever zijn artikel.
Achter in de krant staan tips om je te
beschermen tegen de ruimtewezens.

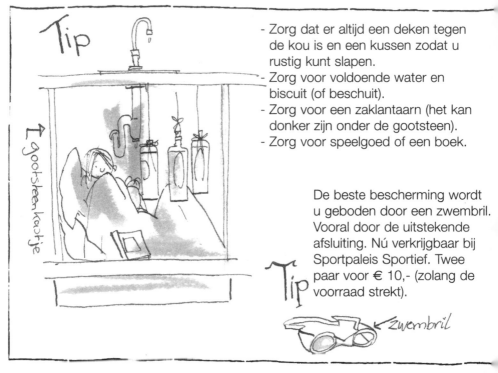

- Zorg dat er altijd een deken tegen
  de kou is en een kussen zodat u
  rustig kunt slapen.
- Zorg voor voldoende water en
  biscuit (of beschuit).
- Zorg voor een zaklantaarn (het kan
  donker zijn onder de gootsteen).
- Zorg voor speelgoed of een boek.

De beste bescherming wordt
u geboden door een zwembril.
Vooral door de uitstekende
afsluiting. Nú verkrijgbaar bij
Sportpaleis Sportief. Twee
paar voor € 10,- (zolang de
voorraad strekt).

'Asjemenou,' zegt de moeder van Jan als
ze klaar is met voorlezen.
'Wat een toestand.

- Steek een rubber slang in een papieren zak (mag ook van plastic zijn).
- Doe de slang in de trechter.
- Blaas de zak langzaam op (zodat hij niet knapt).
- Plaats de trechter tegen uw gezicht (blaas de lucht niet terug in de zak).
- Bevestig eerst uw eigen masker voordat u kinderen helpt.

Tip
Gebruik alleen vacuüm verpakt eten dan wel eten uit blik

Er is geen kind meer veilig.
Hoe passen we met zijn allen onder de gootsteen?
Gelukkig heb ik honderd blikken met sperzieboontjes in de kast.'
In de stilte die valt horen ze de regendruppels in de pannetjes tikken.
Die zetten ze altijd neer als het regent.
Anders worden de spulletjes nat.
'Maar als we zo'n ruimtewezen vangen,' gaat de moeder van Jan verder, 'kunnen we misschien eindelijk het dak repareren.'
Jan slikt.
Van nu af aan moet hij heel goed uitkijken als hij niet gesnapt wil worden!

## 8   De menselijke kanonskogel

Jan doet zijn jas aan en sjaal om en gaat
naar buiten.
Hij moet naar school.
Nog een paar dagen en het is vakantie.
Stientje ligt languit op het gras te
genieten van de winterzon.
'Hoi!' roept Jan.
Ze loopt naar hem toe en strijkt langs
zijn benen.
'Miauw,' zegt ze en loopt dan weg.
Als Jan over het tuinpad loopt,
ziet hij meneer en
mevrouw Stromboli.
Ze duwen een groot
ding uit de schuur.
'Dag, Jan!' roept
meneer Stromboli.
Hij heeft een wit pak met
glitters aangetrokken.

Een rode cape wappert om zijn
schouders.
Onder zijn arm heeft hij een helm.
Mevrouw Stromboli trekt het kleed van
het ding.
Ze wijst naar haar man.
'De menselijke kanonskogel.'
Dan ziet Jan wat het voorstelt.
Op het grasveld staat een kanon.
Jan komt erbij staan.
'Wat gaan jullie doen?'
Mevrouw Stromboli is verkleed als
vrouwelijke cowboy.

Jan herkent het pak.
Dat droeg ze ook op zijn zesde
verjaardag.
Ze ging toen tegen de schuurdeur staan
en meneer Stromboli gooide messen
naar haar.
Dat deden ze vroeger ook in het circus.
'Ik schiet meneer Stromboli met het
kanon de lucht in, zodra het
ruimtewezen zich laat zien,' zegt
mevrouw Stromboli.
'Dan grijpt hij hem en strijken we de
beloning op.
Kunnen we eindelijk een cruise maken.
Misschien kunnen we op de boot zelfs
een optreden verzorgen.
En wie weet varen we wel naar
Stromboli.
Je weet wel: het eiland waar
de vader en moeder van
meneer Stromboli vandaan
komen.'

Stromboli

Dat weet Jan maar al te goed.
Er is geen plekje in het huis van de
buren waar niet iets over Stromboli te
vinden is.
Stromboli bestaat uit een vulkaan.
Een werkende vulkaan.
Bij de laatste uitbarsting was het eiland
bedolven geraakt onder de lava.
Toen waren de ouders van de buurman
gevlucht.

Parel di mare

Meneer Stromboli barst
vaak in huilen uit als hij een
foto van het eiland ziet.
'Stromboli, *parel di mare*,
ik mis je.'
*Mare* is Italiaans
voor zee.
Dat weet Jan van
zijn moeder.
'Heimwee is het ergste wat er is,'
zegt meneer Stromboli vaak.
'Maar u bent er niet eens geboren,' heeft
Jan weleens gezegd.
'Het eiland en de vulkaan zitten in mijn
bloed, Jan,' zei meneer Stromboli toen.
'Ik ben zelf ook net een vulkaan.
Als ik aan Stromboli denk, spuiten de
tranen vanzelf uit mijn ogen.'
Mevrouw Stromboli begint weer over de
beloning.
'We kunnen zo'n extraatje goed
gebruiken.'
Jan slikt.
Zelfs de buren zitten achter hem aan!

Op school heeft iedereen het maar over
één ding: de ruimtewezens.
Jan vindt dat wel best.
Iedereen lijkt te zijn vergeten dat hij de
stinkstraf heeft.
Maar misschien komt dat ook doordat

*uitbarsting van*

↳

*meneer Stromboli*

Bartolomeus er niet is om de anderen
daaraan te herinneren.
Van de juf mogen ze een tekening van de
ruimtewezens maken.
Ook oefenen ze voor als er een aanval
van ruimtewezens komt.
De kinderen moeten om de beurt in een
gootsteenkastje schuilen.
Als Jan in zijn eentje in het donkere kastje
zit, rilt hij even.
Hij houdt niet van donker.
Het beste wat hij kan doen, is hopen dat
er de komende tijd niks gebeurt.
Dan hoeft Super Jan ook niet in actie te
komen.

Ook de rest van de
week wordt er over
niks anders gepraat
dan de ruimtewezens.
Er komen zelfs nieuwe tips
bij de politie binnen van
mensen die menen het
ruimtewezen te hebben
gezien.
Een boer haalt het nieuws
omdat al zijn koeien van schrik
geen melk meer geven.
Bij Lont & Co staat de telefoon
roodgloeiend.

Er is een stormloop op de nieuwe
verzekering.
Iedereen is bang om schade te lijden.
Meneer Lont staat tevreden voor het
hoge raam op de zesenzestigste
verdieping van zijn kantoor.
Hij kijkt uit over de stad.
Die ruimtewezens zijn een goudmijntje.

Verderop in de stad kijken nog twee
mannen uit het raam.

Boris Grijpgraag en Gouden Pietje zijn
een week eerder uit de gevangenis
gekomen.
Ze hebben een kamer gehuurd in een oud
huis van rode bakstenen.
Tegenover het huis is een bankgebouw.
KREDIETBANK staat er in gouden letters op
de gevel.
Gouden Pietje tikt met zijn vinger op de
krant.
'Als we zo'n ruimtewezen te pakken
krijgen, hebben we geen geldproblemen
meer,' zegt hij.
Boris Grijpgraag denkt na.
'Misschien kunnen
we het monster
gebruiken om
de kluis aan
de overkant
te kraken.'
'Wat ben je
toch gemeen,' lacht Gouden Pietje vals.
'Och,' zegt Boris bescheiden, 'valt wel
mee.
We moeten de komende dagen heel goed
opletten.
Wie weet wordt dat ruimtewezen ons
goudmijntje.'
'Als dat eens waar kon zijn,' zucht
Gouden Pietje.

## 9   De vliegende beer

Het is vakantie en Jan hoeft niet naar school.
Op het grote plein midden in de stad is een kermis met een reuzenrad.
Jan loopt met zijn vader en moeder over de kermis.
Bij de snoepkraam staan meneer en mevrouw Stromboli.
Meneer Stromboli neemt zijn hoed af.
Hij ziet een beetje pips en moet gapen.
'Meneer Stromboli doet geen oog meer dicht,' vertelt zijn vrouw.
'Hij tuurt maar naar de hemel.
Laatst dacht hij dat hij een ruimtewezen zag vliegen.
Hij was al in het kanon gekropen.
Toen zag hij net op tijd dat het een reiger was.
Weet u, hij wordt ook al een dagje ouder.
Zo'n vlucht als levende kanonskogel gaat je echt niet in de koude kleren zitten.

Dus dat kun je niet te vaak doen.'
De vader van Jan knikt.
'Misschien is er helemaal geen
ruimtewezen.
Wie weet heeft de krant een nepfoto
afgedrukt.'
'Tsch,' zegt mevrouw Stromboli, 'wat ze
allemaal niet doen om die kranten te
verkopen.'
Ze kijkt naar Jan.
'Jij gaat zeker in het reuzenrad of de
achtbaan?'
Bij die gedachte alleen al voelt Jan zich
misselijk worden.
'Wij blijven lekker met beide voetjes op
de vloer,' schiet zijn moeder hem te hulp.
Jan kijkt naar het reuzenrad.
Het is heel hoog.
Je moet toch echt een held zijn om daar
in te gaan.
Opeens hoort hij twee bekende stemmen
achter zich.
'Uit de weg,' klinkt de stem van Lelijke
Lucie.
Gluiperige Gerrit lacht vals.
Jan wil het liefst helemaal onzichtbaar
worden.
Gelukkig verdwijnen de twee om de hoek
van de snoeptent.

'Is dit niks voor jou?' vraagt zijn moeder.
Ze staan voor een kraam waar je met
ballen kunt gooien.
Net als Jan zijn eerste bal wil gooien,
hoort hij een gil.
Kort daarna klinkt er nog een gil.
Iemand wijst naar het reuzenrad.
Jan kijkt omhoog.
Een van de stoeltjes van het rad hangt er
raar bij.
Het zit niet meer goed vast.
Er rennen steeds meer mensen naar het
rad.
'Help!' klinken twee kinderstemmen.
Jan herkent de stemmen
uit duizenden.

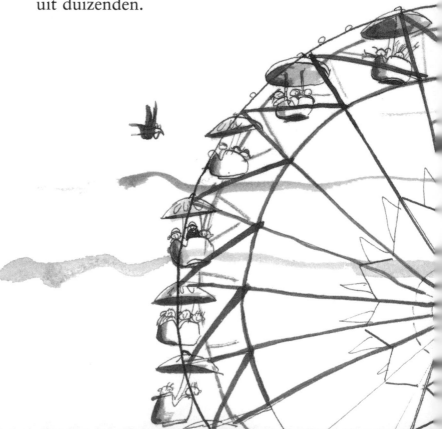

Het zijn Gluiperige Gerrit en Lelijke
Lucie.
Het lijkt wel of zijn oren beter horen dan
ooit.
Hij moet ze gaan helpen, ook al
verdienen ze het eigenlijk niet.
Jan voelt dat de superkracht weer
terugkomt.
'Hier is Super Jan weer,' zingt hij
zachtjes.
'Super Jan is voor niets en niemand
bang.'

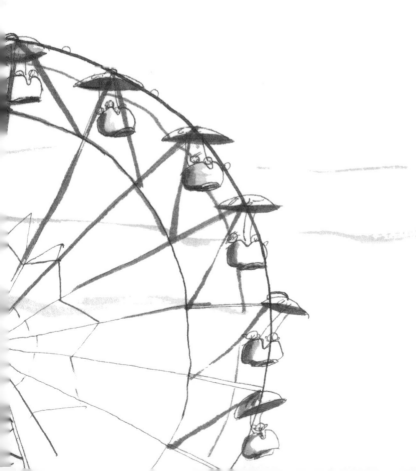

Een brandweerauto rijdt het marktplein op.
Mannen en vrouwen in brandweerpakken
springen uit de auto en schuiven de ladder
uit.

De ladder is niet lang genoeg.
Jan kijkt om zich heen.
Hij moet iets doen.
Maar ze mogen hem niet herkennen.
Hoe kan hij zich vermommen?
Opeens ziet hij bij een van de kramen
een berenpak hangen.
EERSTE PRIJS, staat erop.
Door de drukte rondom het rad valt het
niet op dat Jan stiekem het pak meeneemt.
Zijn vader en moeder zijn nergens te
bekennen.
Achter een tentdoek trekt Jan het
berenpak aan.
Zo, nu kan niemand hem herkennen.

Bij het rad ziet het zwart van de mensen.
Een van de brandweermannen probeert
langs het rad omhoog te klimmen.
Maar nu slingert het loshangende bakje
nog meer heen en weer.
Gluiperige Gerrit gilt nog harder dan
Lelijke Lucie.
Ze zouden heel goed een
brandweersirene kunnen nadoen.
Dan ziet iedereen opeens iets rond het
rad cirkelen.
Meneer Stromboli is de eerste die het
ziet.
Hij kan bijna geen ademhalen.
'Het ruimtewezen,' hijgt hij.
De andere mensen zien het nu ook en ze
beginnen allemaal door elkaar heen te
gillen.

Jan hangt in de lucht en kijkt recht in het
gezicht van Gluiperige Gerrit en Lelijke
Lucie.
Wat voor een geluid maakt een beer
eigenlijk? denkt Jan.
'Grrrr,' probeert hij.
Lucie en Gerrit zijn verlamd van angst.
'Ssst,' zegt Jan gauw.
Hij tilt ze uit hun benarde positie en
daalt dan rustig naar beneden.
Hij houdt ze stevig vast in zijn
berenpoten.

Lucie en Gerrit durven geen kik
te geven.
Even later staan ze weer met beide
voeten op de grond, waar ze in tranen
uitbarsten.
Iedereen heeft met verbazing naar het
spektakel gekeken.
Voordat iemand Jan kan pakken, spuit
hij weer de lucht in.
Beneden flitsen talloze fototoestellen.
Waar kan ik naartoe? denkt Jan.
Hij vliegt nu boven het bankgebouw.
Tegenover de bank staat een oud gebouw
en daarachter is een steeg.
Daar kan ik veilig landen, denkt Jan.
Even later staat hij in de donkere steeg.
Normaal gesproken zou hij er nog in
geen duizend jaar willen zijn.
Maar nu kan het hem niets schelen.
Hij trekt snel het berenpak uit.
Waar zal hij dat laten?
Daar is een vuilnisbak.
Hij stopt het pak erin en rent dan snel de
steeg uit, terug naar het plein.

Net op het moment dat Jan over de bank
zweefde, keek Gouden Pietje uit het
raam.
Hij zag iets of iemand in de steeg landen.
Was dat soms het ruimtewezen?
Wat een geluk!
Tevreden wrijft hij in zijn handen.
Misschien moet hij maar even niks tegen
Boris zeggen.
Eerst dat ruimtewezen maar eens
volgen...
Gouden Pietje schiet zijn jas aan en haast
zich naar buiten, richting plein.

De volgende dag staat met grote letters in de krant:

# Uitgestorven diersoort keert terug

De vader en moeder van Jan lezen
ademloos de krant.
Jan zit verlegen in zijn stoel.
Al die ophef komt allemaal door hem.
Zijn ouders moesten eens weten!
De moeder van Jan leest het bericht
hardop voor.

*Van onze speciale verslaggever*
Gistermorgen was de stad getuige van weer een aanval.
Inmiddels is de vraag gerezen of het wel om ruimtewezens gaat.
De twee kinderen die gisteren gered waren van een wisse dood kunnen hierover meepraten.
Volgens hen zijn ze gered door een beer.

De directeur van het dierenpark verklaarde dat de omschrijving van de getuigen ter plaatse sterk overeenkomt met de uitgestorven gewaande ursus arctos volaris (vliegende bruine beer, redactie).
Deze diersoort leefde drie miljoen jaar geleden in deze omgeving.
Waar zou dit dier vandaan komen?

Heeft het iets te maken met de opwarming van de aarde?

Betekent dit het begin van de terugkeer van de mammoet, en de dinosaurus?

Is de opwarming van de aarde wellicht maar tijdelijk en komt de ijstijd weer terug?

Iedereen die dit dier aantreft, wordt afgeraden het aan te raken.

Mogelijk is het beest besmet met het hondsdolheidvirus.

Het is waarschijnlijk ook beter het dier niet in de ogen te kijken.

Geadviseerd wordt een zonnebril te dragen.

Volgens de heer Ernest Bartolomeus Lont kunt u rustig gaan slapen.

'Met een verzekering van ons bedrijf kan u niets gebeuren.

Wij zijn al jaren op dit soort dingen voorbereid.'

Waren er maar meer van zulke ondernemers!

'Mijn man zou burgemeester en misschien wel minister-president moeten worden,' zegt een trotse mevrouw Lont.

Voor een vervolg van dit artikel en een diepte-interview met de heer Lont zie pagina 4 en 5 van deze krant.

Sluit nu bij Lont & Co een verzekering af tegen schade door vliegende beren. Alleen vandaag met extra korting.

'Het is me wat,' zegt de vader van Jan.
Hij pakt de telefoon om de firma Lont & Co te bellen.
Hij wil meer weten over hun speciale verzekering.
'Ik denk dat we er verstandig aan doen zo'n verzekering aan te schaffen,' zegt hij tegen zijn vrouw.

'Je hebt groot gelijk,' antwoordt de
moeder van Jan.
'Je weet niet half wat zo'n woeste beer
aan schade kan veroorzaken.'
Jan glipt stilletjes de deur uit en gaat
naar zijn kamer.
Eerst was hij een ruimtewezen.
En nu een vliegende beer.
Iedereen is bang voor hem.
Maar dat is niet de bedoeling.
Hij wil alleen zelf niet meer bang zijn.
Hij trekt zijn Supermanpak aan en gaat
naar buiten.
Wat moet hij doen?
Hij klimt de ladder op van zijn boomhut.
Daar gaat hij altijd zitten als hij moet
nadenken.
Opeens klinkt er een harde knal.
Meneer Stromboli staat met een
jachtgeweer in de tuin.

'Daar gaat-ie!' roept hij.
'Daar is de beer.'
Maar het is helemaal geen beer.
Een man die achter een boom
stond,
rent hard weg.

Hij is geraakt door een schot hagel.
Hij houdt zijn handen op zijn billen
en rent gillend van de pijn weg.
Mevrouw Stromboli houdt haar
handen voor haar ogen.
'Lieve help, duifje, je hebt iemand
in zijn achterwerk geschoten.'
Meneer Stromboli krijgt een rood
hoofd.
'Ik dacht echt dat ik een beer
achter de boom zag staan.'
'Morgen gaan we een bril kopen,' hoort
Jan mevrouw Stromboli zeggen.
Ze kijkt omhoog.
Dan ziet ze Jan in zijn boomhut zitten.
'Kijk je uit, jongen?' zegt ze.
'Niet uit de boom vallen, hoor,' zegt
meneer Stromboli naar Jans pak wijzend.
'Gelukkig hebben we een echte Superman
in de buurt.
Dan is er tenminste iemand die ons kan
beschermen.'

Gouden Pietje loopt strompelend de trap
op.
Boris Grijpgraag staat in de kamer van de
bovenste etage.
Hij tuurt naar een plattegrond van de bank.
In het midden van de plattegrond is de kluis
getekend.
Hij hoort het gekreun van Pietje.
'Wat is er met jou gebeurd?'
Pietje wijst naar zijn billen.
'Ik ben beschoten door de bewakers van...'
Zijn adem stokt even.
'Nou?' vraagt Boris.
'Laat me niet langer in spanning.
Vertel, vertel.'
Pietje haalt adem.
'Door de bewakers van Superman.'
Nu valt Boris' mond open.
'Heb je koorts of zo?
Superman is een stripfiguur.'
'Ik zweer het je,' zegt Pietje.
'Hij woont in een boomhut.
Zijn bewakers hebben zich verkleed als
circusartiesten.'
'Ga weg,' zegt Boris.
'Je hebt toch niks gedronken?
Hier, pak een stoel en begin nog eens van
voren af aan.'
Hij duwt Pietje in een keukenstoel.

Pietje brult van de pijn.
'Ga liggen,' gebaart Boris.
Even later ligt Pietje met zijn buik op de
keukentafel.
Met een pincet haalt Boris de korrels
hagel één voor één uit Pietjes billen.
'Het lijken wel twee krentenbollen,' zegt
hij tegen Pietje.
Terwijl Boris de hagel eruit haalt, vertelt
Pietje over zijn avonturen.
Eerst dacht hij dat hij het ruimtewezen
had gevonden.
Maar het bleek een vliegende beer te zijn.
En die beer bleek een jongetje te zijn.
En dat jongetje was eigenlijk Superman.
'We moeten iets bedenken,' zegt Boris.
'Misschien kunnen we die Superman
gebruiken bij onze plannetjes.
Maar we zullen voorzichtig moeten zijn.
Eerst maar eens kijken of hij weer in
actie komt.'

Jan zit op zijn kamer.
Hij heeft zijn Supermanpak nog aan.
Hij heeft zich al een hele tijd niet meer
bang gevoeld.
Vooral nu hij heeft gezien hoe makkelijk
andere mensen zich bang laten maken.
Maar nu heeft hij een ander probleem:
niemand mag van zijn geheime
superkracht weten!

Hij hoopt maar dat hij niet meer in actie
hoeft te komen.
Hij kijkt door het open raam naar
buiten.
In de tuin staat meneer Stromboli.
Hij bedekt iets met dode bladeren.
Op een stoel zit mevrouw Stromboli.
Ze heeft een berenpak aan.
Met de berenkop op haar schoot kijkt ze
naar de lucht.
'Wat bent u aan het doen?' roept Jan
naar beneden.

'Dag Jan, mevrouw Stromboli gaat de beer
hiernaartoe lokken,' roept meneer
Stromboli terug.
'Hoe doet u dat dan?' vraagt Jan.
Meneer Stromboli gebaart dat Jan even
moet wachten.
Hij loopt naar zijn huis.
Opeens klinkt het gebrul van een beer
door de tuin.
Waar komt dat geluid vandaan? denkt Jan.
Dan ziet hij een geluidsbox aan een boom
hangen.

Meneer Stromboli staat weer bij zijn vrouw.
'Heb je dat gehoord, Jan?' roept hij naar
boven.
'Als de beer dit hoort, vliegt hij naar
mevrouw Stromboli.
Dit is het geluid van een beer in nood.
Je snapt wel wat ik bedoel.'
Jan schudt zijn hoofd.
Meneer Stromboli wijst naar de lucht.
'Als de vliegende beer mevrouw Stromboli
ziet, denkt hij dat zij het is die om hulp
roept.'
'Weet u dat zeker?' vraagt Jan.
'Ik mag hopen van wel,' antwoordt meneer
Stromboli.
'Als die beer mevrouw Stromboli in het
berenpak heeft ontdekt,' vraagt Jan, 'wat
gebeurt er dan?'
'Ik zal het voordoen,' zegt meneer
Stromboli.
Hij spreidt zijn armen en doet alsof hij de
beer is die komt aanvliegen.
Hij loopt een rondje over het grasveld en
gaat dan naar mevrouw Stromboli.
Zij zit nog steeds onbeweeglijk op de
keukenstoel.
Meneer Stromboli gaat op haar schoot
zitten.
Er klinkt een gil.
Jan ziet nu wat er al die tijd onder de
bladeren lag.

Meneer en mevrouw Stromboli bungelen
in een net, dat met een touw aan een
dikke tak hangt.
'Help!' roepen ze. 'Help!'
Jan rent de trap af naar buiten.
Mevrouw Stromboli scheldt haar man
uit.
'Het is afgelopen!' roept ze.
'Zeg maar dag tegen Stromboli.
Nooit, nooit, nooit meer Stromboli.'
Dan ziet meneer Stromboli Jan onder het
net staan.
'Pak een bijl uit de schuur, Jan.'
Jan holt naar de schuur en komt even
later met de bijl terug.
'Hak het touw door!' roept meneer
Stromboli.
Jan begint met de bijl in het
strakgespannen touw te hakken.
Nog een slag.
Dan ziet hij een flitslicht,
maar hij ziet niet waar
dat vandaan komt.
Op bijna hetzelfde
moment knapt het
touw en donderen
meneer en mevrouw
Stromboli naar
beneden.

Mevrouw Stromboli strompelt
naar Jan.
'Super, Jan!
Je bent mijn eigen kleine held.
Ik was even bang dat ik daar nog
uren had moeten blijven hangen.'
Dan wankelt ze zo snel als ze kan
naar binnen.
Meneer Stromboli blijft
verslagen op het grasveld
zitten.
'Wat erg voor u,' zegt Jan,
'dat uw vrouw niet meer naar
Stromboli wil.'
Meneer Stromboli staat op
en slaat het gras van
zijn broek.
'Leer van mij één ding, Jan.
Als je een droom hebt, moet je die nooit
opgeven.
En dat ga ik nu ook niet doen.
Mevrouw Stromboli wil wel naar
Stromboli, maar ze is bang om te
verhuizen.'
'Waarom is ze daar bang voor?' vraagt
Jan.
'Grote mensen kunnen bang zijn zonder
reden,' antwoordt meneer Stromboli.
Hij loopt nu ook naar binnen.
'Ik ga voor haar een mooi gedicht op
rijm schrijven over Stromboli.

Ik vraag aan de twee zangjuffen
er mooie muziek bij te
componeren,' zegt meneer
Stromboli.
'Stromboli, vulkaan van mijn dromen,
laat mij tot u komen,' hoort Jan hem nog
zingen.

Als het donker is geworden, kijkt Jan
naar het streepje maanlicht dat tussen de
gordijnen door schijnt.
Hij dacht altijd dat hij de enige was die
zo bang was uitgevallen.
Maar blijkbaar is iedereen weleens bang.
Vandaag heeft hij zelfs zonder
superkracht meneer en mevrouw
Stromboli gered.
Tevreden valt hij in slaap.

'Kijk nou eens, baas,' zegt Pietje.
Hij laat Boris de voorpagina van de
krant zien.
Boris glimt van trots.
Hij vindt het prettig om met 'baas'
aangesproken te worden.
Dan leest hij de krant.

# DE NIEUWSKOERIER

## SUPER JAN – SUPERMAN

*Van onze speciale verslaggever*
Onze verslaggever was gisteren ter plaatse toen op spectaculaire wijze een redding plaatsvond.
De heer en mevrouw Stromboli hadden een val bedacht voor de vliegende beer.
Door een ongelukkige samenloop van omstandigheden raakten ze in hun eigen valstrik verstrikt.
Gelukkig dat hun buurjongen Jan ze uit hun benarde positie kon bevrijden.

Wij vroegen de heer Stromboli gisteravond om commentaar.
'Onze kleine Jan is een echte Super Jan,' zei hij.
Superman, zouden we hieraan toe willen voegen.
Had onze stad nog maar meer van zulke helden.
Dan zouden we een stuk sterker staan tegenover een mogelijke invasie van ruimtewezens en vliegende beren.
We vroegen Jan om een reactie, maar hij wilde liever niet de pers te woord staan.

De lezers kennen meneer Stromboli ongetwijfeld ook van zijn vele dia-avonden over Stromboli in buurthuis De Boomspijker. Deze zullen dit voorjaar weer plaatsvinden. Tevens zal dit voorjaar zijn zevende dichtbundel over Stromboli verschijnen. De heer Stromboli vertelde dat de gedichten op muziek zullen worden gezet door de twee zangjuffen van muziekschool Gloria. Wie kent ze niet van het jaarlijkse korenfestival.

Boris laat de krant zakken.
'Is dit het ventje dat je gevolgd hebt?'
Pietje kijkt naar de foto van Jan in de krant.
'Ja, dat is hem.
Hij vermomt zich zeker elke keer anders.
Zodat hij niet opvalt.
Hij is vast heel erg uitgekookt.'
'Dat ventje gaat ons rijk maken,' bromt Boris.
'Ja baas, dat ventje gaat ons rijk maken.'
'We moeten een plan bedenken.'
'We moeten een plan bedenken, baas.'
Boris geeft Pietje een mep met de krant.
'Als ik een papegaai wil, neem ik er wel eentje.
Heb je dat goed begrepen?'
'Au!' roept Pietje, als Boris hem weer een tik geeft met de krant.
'Heb ik al ja horen zeggen?' vraagt Boris.

Hij houdt de tot knuppel gevouwen krant
boven Pietjes hoofd.
'Ja,' antwoordt Pietje gauw.
'Wat ja?
Heb ik je niet geleerd om met twee woorden
te spreken?' roept Boris.
Hij staat klaar om opnieuw uit te halen.
'Ja, baas!' gilt Pietje.

'Genade, grote baas der bazen, gruwelijke
slechtheid.'
Boris staat tevreden op en loopt naar het
raam.
Hij krabt zich op zijn kale kop.
Maar er wil hem niets te binnen schieten.
Gelukkig heeft hij de tijd om een goed plan
te bedenken.
De kluis met goud loopt niet weg.
En als de kluis geduld heeft, heeft hij het ook.

De hele nacht heeft het aan één stuk
door geregend.
Toen Jan wakker werd, zaten de
pannetjes vol water.
Maar nu is het gelukkig opgehouden met
regenen.
Na het ontbijt rent hij zonder sjaal naar
buiten.
Bij het hek zit meneer Stromboli.
Hij kijkt een beetje somber.

'Wat is er?' vraagt Jan.

'Mevrouw Stromboli praat niet meer tegen me.'

'Komt dat door die beer?' vraagt Jan.

'Ja, ik ben bang dat mevrouw Stromboli zelfs weer met onze gewone achternaam wil worden aangesproken.'

Jan kijkt verbaasd.

'Heet u dan geen Stromboli?'

Meneer Stromboli schudt zijn hoofd.

'Eigenlijk niet, eigenlijk heten we...'

Hij kijkt om zich heen, alsof niemand het mag horen.

'We heten eigenlijk gewoon Van der Put. Maar Stromboli klinkt toch veel beter, Jan?

Als je Stromboli van achteren heet, dan woon je er al bijna.'

Met zo'n naam kun je ergens binnenkomen.

Wat denk je van het circus?

We hadden toch nooit als signor en signora Van der Put kunnen optreden?

Daar was geen hond op afgekomen.'

Jan knikt.

'Ik weet zeker dat u ooit in Stromboli zult komen.

Daar hoeft u niet bang voor te zijn, hoor.

Misschien moet u een keer een wens doen als u een vallende ster ziet.'

'Zou je denken?' vraagt meneer Stromboli.

Opeens hoort Jan in de verte iets.
Alsof iemand om hulp roept.
'Hoort u ook iets?' vraagt hij aan de
buurman.
Meneer Stromboli schudt zijn hoofd.
'Help!' hoort Jan weer.
Nu weet hij het zeker.
Het geroep komt vanuit de stad.
Hij moet er heel snel heen.
'Ik moet weg,' zegt hij tegen meneer
Stromboli.
'Nog een fijne dag.'
Hij loopt snel de straat uit.
Waar kan hij ongezien de lucht in
vliegen?
Hoe moet hij zich vermommen?
Niemand mag erachter komen dat hij het
ruimtewezen is.
Stel je voor: straks verkopen ze hem aan
een circus.
Dan stoppen ze hem in een kooi.
Misschien krijgt hij dan een ketting om
zijn enkels.
Omdat ze bang zijn dat hij weg zal
vliegen.
Jan rilt.
'Miauw, kom achter mij aan,' hoort Jan
ineens.
Het is Stientje.
'Ik weet een goede vermomming voor je.
Kom vlug.'

Ze rent voor Jan uit en dan stopt ze
plotseling.
Jan ziet een auto staan.
CLOWN PEPPINO VOOR AL UW
VERJAARDAGSPARTIJTJES, staat
er met sierlijke letters op.
Jan ziet dat de achterklep op een kiertje
staat.
'Je mag de clownskleding vast wel lenen,'
zegt Stientje.
Jan kruipt de auto in.
Even later stapt er een clown uit met
grote flapschoenen en in kleding die
zeker tien maten te groot is.

De pruik valt bijna
over zijn ogen.
Jan doet de rode
neus op.
Wat een geluk dat
die kleding in de
auto lag.
Zo zal niemand hem
herkennen.
'Succes!' roept Stientje.
Jan kijkt zoekend
om zich heen.

Niemand te zien.
Dan vliegt hij kaarsrecht omhoog.
Naar de plek waar het gegil vandaan
komt.

## 14 In het nieuws

De volgende dag berichten de kranten maar over één ding: een nieuwe aanval.

**Nog meer buitenaardse monsters** schrijft de een.

**<u>WEER EEN AANVAL VANUIT DE RUIMTE</u>** schrijft de ander.

En:
**Buitenaardse clown
laat wolken tegen
elkaar botsen**

**Is het einde
der tijden nabij?**

Vol verbazing lezen
Boris en Pietje alle
krantenkoppen.
Boris wrijft in zijn handen
en leest voor.

Onze stad werd gisteren opnieuw opgeschrikt door een invasie.

Volgens de politie gaat het wel degelijk om ruimtewezens, maar maken ze handig gebruik van vermommingen.

Deze keer was het ruimtewezen niet vermomd als beer, maar als clown.

Om negen uur 's ochtends in de morgen ontstond er brand op de bovenste verdieping van de kantoortoren van verzekeringsmaatschappij Lont & Co.

De heer Lont senior zat als een rat in de val en wachtte op hulp van de brandweer.

Verschillende oplettende voorbijgangers zagen toen een vliegend object rond de toren zweven.

Voor een uitgebreide fotoreportage verwijzen we u naar de speciale bijlage.

'Ik had spijt dat ik geen net bij me had om het wezen te vangen,' vertelde de moedige heer Lont ons later.

Terwijl de heer Lont de komst van de brandweer afwachtte, gebeurde er iets wat niemand snel zal vergeten.

Het ruimtewezen vloog naar een grote stapelwolk en duwde deze tegen een wolk die boven de firma Lont & Co hing.

Met een knal barstte deze als een zak water open en doofde daarmee het vuur.

Waar is dit machtsvertoon goed voor?

Is dit een voorteken van wat ons te wachten staat?

Een demonstratie van de kracht waarover deze wezens beschikken?

Want laten we wel wezen: het moeten er meer zijn en ze zijn altijd vermomd.

De politie doet nu onderzoek naar de diefstal van clownskleding uit de auto van Clown Peppino.

De politie waarschuwt iedereen goed op te letten.

De ruimtewezens kunnen elke vorm aannemen.

Vertrouw niemand!

De heer Lont stelt overigens de stad aansprakelijk voor de waterschade.

93

'Ik heb geen behoefte dit uit mijn eigen zak te betalen,' was zijn commentaar.
'Deze ramp treft ons allemaal.
Nog zo'n schade en ik kan een deel van het bedrijf sluiten.'
De politie speurt intussen nog steeds naar de verblijfplaats van de ruimtewezens. Op de radar van de luchtverkeersdienst was in elk geval geen spoor van de wezens te vinden.
Voor tips en aanwijzingen om u te beschermen tegen een aanval vanuit het heelal, verwijzen we u naar de speciale bijlage.
U wordt aangeraden voldoende voedsel en water in huis te hebben.
De burgemeester vraagt iedereen goed op te letten.
Geef verdachte personen direct door aan de politie.
Doet u zelf alstublieft niets, want ze kunnen gewapend zijn.
Voor bijdragen aan het noodfonds Lont & Co kunt u geld storten op rekeningnummer 67899900.
Onder vermelding van: Help Lont & Co uit de brand.

Boris legt de krant naast zich op de tafel.
Hij beent op en neer door de lege kamer.
'Vliegende beren, clowns die met wolken
smijten, een jongetje dat zich verkleedt
als Superman.
✓ We moeten dat ventje te pakken krijgen.
✓ We kunnen de beloning opstrijken.
✓ We kunnen hem de kluis met goud laten
openen.
✓ We kunnen hem aan een circus
verkopen.
✓ We kunnen het ook allemáál doen.

94

We worden schathemeltje rijk, allemaal
dankzij dat knulletje.'
'En dankzij mij!' roept Pietje.
'Als ik hem niet had gevolgd, wist je nu
niet wie hij was en waar hij woonde.'
Boris draait zich om.
'Informatie verzamelen kunnen we
allemaal.
Maar er iets mee doen, daar draait het
om.'
Hij gaat voor Pietje staan.
'En wat heb je voor een goed plan
nodig?'
Hij pakt de krant en mept op het hoofd
van Pietje.
'Nou?'
Hij deelt nog een mep uit.
'Wat dacht je van hersens?'
Pietje knikt gedwee.
'Dus zullen we het denken voortaan
maar aan mij overlaten?
Zullen we mij voortaan niet meer
lastigvallen met allerlei eigenwijze
praatjes?
Een goed team is niets zonder een
uitstekend stel hersens.'
Boris loopt naar het raam en kijkt naar
buiten.
'Ik geloof dat ik een heel erg misdadig
plan voel opborrelen.'

Het is avond.
Mevrouw Stromboli is op bezoek.
Ze zit naast de moeder van Jan op de
bank.
'Asjemenou,' zucht de vader van Jan.
Hij legt de telefoon neer.
'Dat was Peppino.
Ze hebben zijn auto meegenomen voor
onderzoek.
Misschien kunnen ze vingerafdrukken
vinden.'
'Alsof dat zin heeft,' zegt mevrouw
Stromboli.
'Sinds wanneer heeft de politie
vingerafdrukken van ruimtewezens?'
'Ik heb gehoord dat de burgemeester de
beloning heeft verdriedubbeld,' zegt de
moeder van Jan.
'Stel je voor dat we dat geld zouden
krijgen.
Nooit meer zorgen, nooit meer een
lekkend dak.'
'Of een vakantiehuis op Stromboli,' vult
mevrouw Stromboli aan.
Dan trekt ze een vies gezicht.
'Meneer Stromboli heeft een nieuw idee.
Hij wil een reuzenvliegenvanger met
plakkerige kleefstof maken.
Eerst had hij gedacht dat ik me als clown

of beer zou verkleden.
Ik zou dan bij die sliert met kleefstof
moeten staan.
Nou, je begrijpt dat ik daar echt geen zin
in had.
"Dan doe ik het zelf wel," zei hij toen.
We hebben er drie uur over gedaan om
de kleefstof van hem af te krijgen.
Hij was er per ongeluk tegenaan gaan
staan.'
De moeder van Jan knikt meelevend.
'Volgens mij,' gaat mevrouw Stromboli
op zachte toon verder, 'is het helemaal
geen ruimtewezen.
Misschien is het een nieuw soort mens.
Je weet maar nooit wat ze in al die
laboratoria aan het doen zijn.
Misschien hebben ze een vliegende mens
gemaakt en is die ontsnapt.
Misschien houdt hij zich schuil bij ons in
de buurt.
Dat zou zomaar allemaal kunnen.'
Jan voelt het bloed uit zijn gezicht
wegtrekken.
Hij heeft nog steeds het clownspak onder
zijn bed liggen.
Stel je voor dat ze het huis komen
doorzoeken.
Of dat zijn moeder onder zijn bed gaat
stofzuigen.
Hij moet van dat pak af.

Jan doet alsof hij moet hoesten.
Zijn moeder pakt van schrik
de Chinese vaas.
'Niet weer!' roept ze.
'Niet weer de kamer
omverblazen.'
Maar er gebeurt
helemaal niks.
'Misschien kun je
maar beter vroeg
naar bed gaan,'
zegt zijn moeder.
'Ik moet er niet aan
denken dat je
verkouden wordt.'
Jan knikt.
Hij loopt naar zijn kamer.
Daar haalt hij het clownspak
onder zijn bed vandaan en propt het in
zijn rugzak.
Die stopt hij in de grote kast en hij draait
de deur op slot.
De sleutel hangt hij aan een koordje om
zijn nek.
Als niemand het ziet, legt hij het
clownspak wel een keer bij Peppino op
de stoep.
Opeens hoort hij zachtjes
iemand om hulp roepen.
Jan voelt meteen de superkracht in zich
stromen.

Hij grist de bivakmuts van tafel en trekt
hem over zijn hoofd.
Dan gooit hij het raam open.
Pijlsnel schiet hij via het openstaande
raam de lucht in.
Even later hangt hij hoog boven de stad.
Hij verstopt zich achter een grote wolk.
Waar zou dat hulpgeroep vandaan
komen?
Hij houdt zijn hand tegen een oor.
Dan wordt zijn blik getrokken naar het
huis tegenover de Kredietbank.
Daar ziet hij een vrouw bungelen aan een
touw, dat vastgebonden is aan een
vlaggenstok.
De stok buigt helemaal door.
Nog even en hij breekt af.
Er is geen tijd te verliezen.
    Jan schiet in een duikvlucht naar
      de vrouw.
        Hij neemt haar in zijn armen en
          rukt haar los van de
            vlaggenstok.
          'Waar moet u naartoe?'
          vraagt Jan.

De vrouw piept een beetje en wijst naar
het raam boven de Kredietbank.
Super Jan vliegt met de vrouw door het
raam naar binnen.
'Help me!' zegt ze.
'Ze hebben mijn man beroofd.
Hij zit beneden in de kelder opgesloten.
Alsjeblieft, help me om hem te
bevrijden.'
Jan rent achter de vrouw aan naar
beneden.
Daar is de grote kluis.
'Hier zit hij gevangen!' roept
de vrouw met schorre stem.
Jan kijkt naar de grote kluis.
Hoe moet hij die nou weer
openkrijgen?
Hij loopt naar het grote
ijzeren wiel dat aan de deur vastzit.

Jan heeft niet in de gaten dat de vrouw
langzaam wegsluipt.
En hij heeft al helemaal niet door dat de
vrouw geen vrouw is, maar Gouden
Pietje.
Zo snel hij kan, rent Pietje naar de
achterdeur, om Boris binnen te laten.
Jan haalt diep adem en geeft dan een
draai aan het wiel.
Als het rad van fortuin begint het wiel te
draaien.

Jan geeft er nog een draai aan, en nog
een, en dan zwaait de deur open.
Het goud schittert Jan tegemoet en hij
wrijft in zijn ogen.
Maar waar is de man die hier gevangen
zou zitten?

Er is helemaal niemand.
De vrouw die hij gered heeft is ook
verdwenen.
Wat is hier aan de hand?
Jan voelt kriebels over zijn rug lopen.
Hier klopt iets niet.
Opeens hoort hij iemand achter zich
kuchen.
Er staan twee mannen in
bewakingsuniform.
Jan kijkt ze angstig aan.
'Wat moet jij hier?' bast een van de
mannen.
Jan denkt pijlsnel na.
Hij kent die stem.
Maar waarvan?
Jan doet een paar stappen naar achter.
Maar hij zit als een rat in de val.
De bewaker lacht vals.

Jan vertelt over de vrouw die hij heeft
gered.
Dat hij voor haar de kluis heeft
opengemaakt.
Omdat haar man hier gevangen zou
zitten.
'Maar er zat helemaal geen man in de
kluis,' fluistert Jan.
'Misschien waren het boeven.
Ze zijn vast gevlucht, toen ze u hoorden
aankomen.
U moet de politie bellen.
Misschien kunnen ze de boeven te
pakken krijgen.'
'Weet je dat wel zeker?' vraagt de ene
bewaker scherp.
'Jou willen ze vast ook verhoren.
Ze willen vast weten hoe jij hier binnen
bent gekomen.
Straks denken ze dat je het ruimtewezen
bent.
Weet je zeker dat wij de politie moeten
bellen?'
Jan schrikt.
'Laat me gaan, alsjeblieft, vertel niet dat
je mij hebt gezien.'
'Alleen als je helpt de goudstaven in
veiligheid te brengen,' zegt een van de
bewakers.
'Zo'n kapotte kluis is vragen om
problemen.'

Jan mag pas weg als hij heeft geholpen
de goudstaven naar het rode bakstenen
huis ertegenover te brengen.
'Niemand zal denken dat het goud hier
ligt,' zegt een van de bewakers.
'Hier is het veilig tot de kluis is
gemaakt.'
Als Jan een halfuur later weer buiten
staat, trekt hij zijn bivakmuts van zijn
hoofd.
Met knikkende knieën loopt hij de steeg
uit.
Hij heeft nog geluk gehad dat de
bewakers hem niet aan de politie
hebben overgedragen.
Dan zat hij pas goed in de nesten.
Blij dat zijn geheim nog veilig is, loopt
hij opgelucht naar huis.
Maar Jan weet niet dat Bartolomeus
alles heeft gezien...

## 16 De kraak van de eeuw

De volgende ochtend wordt Jan wakker
van het geluid van de tv beneden.
Hij glipt zijn bed uit en gaat naar
beneden.
Zijn vader en moeder zitten voor de
televisie.
Jan gaat erbij staan.
Zijn moeder draait zich om.
'Kom erbij zitten, lieverd.
We zijn getuige van de kraak van de
eeuw.'
Jan trekt vragend zijn wenkbrauwen op.
'Het ruimtewezen heeft weer toegeslagen.
Hij heeft de hele goudvoorraad van de
Kredietbank meegenomen.
Wat zouden ze daarboven van plan zijn?'
Jan voelt het bloed uit zijn gezicht
wegtrekken.
Opeens verschijnt Bartolomeus Lont in
beeld.
Jan hoort de verslaggever praten.
'Hier voor ons staat Bartolomeus Lont.
Dezelfde Bartolomeus die onlangs op
gruwelijke wijze ontvoerd werd door het
ruimtemonster.'
De verslaggever wendt zich tot
Bartolomeus.
'Je stond dus tegenover de ingang van de
bank.

Wat gebeurde er toen?'
'Ik zag een lichtflits en eerst kon ik niks
meer zien.
Toen ik in mijn ogen wreef...'
Jan ziet dat Bartolomeus slikt.
'Ja, wat gebeurde er toen?'
'Toen... stond daar het ruimtemonster,'
zegt Bartolomeus.
Zijn stem trilt.
'Je herkende hem meteen?'
'Ja.' Bartolomeus knikt.
'Hoe zag hij eruit?'
'Hij had eerst een rare muts op en opeens
deed hij die af.'
'Vertel, vertel!' zegt de interviewer.
Jan begint te kuchen.
Hij voelt zich opeens heel misselijk
worden.
Wat moet hij nu doen?
Zo meteen weet iedereen dat hij het
ruimtewezen is.
'Hand voor je mond,' zegt zijn moeder.
'Hij had rode ogen en een groene huid,'
vertelt Bartolomeus.
'Er scheen een raar licht om hem heen.'
'En het goud?' vraagt de verslaggever
hijgend.
'Vertel nog een keer over het goud.'
Jan ziet dat Bartolomeus diep ademhaalt.
'Het was een enorme stapel en die hield
hij met een pink omhoog.

Daarna vloog hij de lucht in.'
De verslaggever wendt zich tot de
kijkers.
'Dit was een ooggetuigenverslag voor de
ingang van de bank waar de hele
goudvoorraad is verdwenen.
Waarschijnlijk ligt die nu in een
ruimteschip.

Het is nu niet meer de vraag óf het
wezen zal toeslaan, maar wannéér en
wáár.
Blijf kijken.
Hou ramen en deuren gesloten en let op
de mededelingen.
Over enkele ogenblikken houdt de
burgemeester een toespraak.
We schakelen nu over naar de
bankdirecteur.
De persoon die het goud weet terug te
vinden, kan een fikse beloning
tegemoetzien.'

De vader van Jan zet de tv zachter.
'Asjemenou, we zijn nergens meer veilig.'
Jan voelt zich draaierig.
Die vrouw was dus helemaal geen
vrouw!

Ze heeft hem voor de gek gehouden.
En die bewakers waren nepbewakers!
Nu weet hij ook waar hij de stem van die
ene bewaker van herkende.
Het was dezelfde stem als die van de
vrouw.
Wat voert Bartolomeus in zijn schild?
Als hij hem heeft gezien, waarom liegt hij
dan?
Zou hij hem echt gezien hebben?
Waarom liegt hij dan?
Jan rilt.
Wat moct hij doen?

## 17  Een plan voor Jan

Jan loopt naar de voordeur.
Hij wil naar zijn boomhut.
Daar kan hij altijd goed nadenken.
Op de deurmat ligt een grote bruine
envelop.

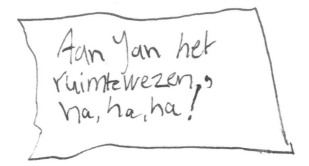

Jan scheurt rillend de envelop open.
Er zit een brief in van Bartolomeus Lont.

Ik heb jou door, klein
onderkruipertje.
Maar vanaf nu doe je
precies wat ik vertel.
Zeg dit tegen niemand.
Kom vanmiddag om twee
uur naar de bank.
Denk erom dat je alleen
bent.
Ik kan er zo voor zorgen
dat je aan een circus
verkocht wordt.

Bartolomeus Lont

Jan voelt de tranen in zijn ogen prikken.
Had hij maar nooit die stomme wens
gedaan.
Maar er is geen weg meer terug, hij zal
iets moeten verzinnen.
Het ruimtewezen moet verdwijnen.
Hij loopt de deur uit.

Jan hoort getimmer in de schuur van
meneer Stromboli.
Mevrouw Stromboli hangt de was op.
'Dag, Jan.'
Ze wijst naar de schuur en tikt dan tegen
haar voorhoofd.
'Hij is een magneet aan het uitvinden die
ook op goud werkt.
Als het ruimtewezen weer een bank
berooft, dan hoeft hij alleen maar de
magneet op het ruimtewezen te richten.
Het ruimtewezen wordt dan met goud en
al naar beneden getrokken.
"Twee vliegen in één klap," zegt meneer
Stromboli.'
Ze wijst weer naar haar voorhoofd.
Dan klinkt er opeens een gil vanuit de
schuur.
'Help, ik zit vast aan de magneet!' gilt
meneer Stromboli.
'Help!'
Mevrouw Stromboli loopt naar de
schuur.
'Nu ben ik het zat,' hoort Jan haar
zeggen.
'Het is genoeg geweest.'
Dat vindt Jan ook.
Hij haalt de rugzak uit zijn kast en rijdt
weg op zijn rode fiets.
Het wordt tijd om iets te doen.
Hij heeft hulp van zijn vrienden nodig.

Jimmy Wezel, Bange Lotte en Ruben
Haas zitten op het hekje van het
speelveldje.
'Hoe weten we nou dat het waar is wat
je ons net hebt verteld?' vraagt Jimmy
Wezel.
Jan pakt zijn rugzak en haalt er het
clownspak van Peppino uit.
Bange Lotte kijkt er
met open mond naar.
'Is dit genoeg bewijs?'
vraagt Jan.
'Kun je niet een stukje
vliegen, zodat we het
kunnen zien?' vraagt
Ruben Haas.
'Ik kan het alleen maar
als iemand bang is,' antwoordt Jan.

'Ik sta altijd te trillen op mijn benen,'
zegt Bange Lotte.
'Er is niet iets waar ik niet bang voor
ben.'
Jimmy Wezel en Ruben Haas knikken.
'Iemand moet in nood verkeren,' legt Jan
uit.
'Ik moet heel nodig,' roept Bange Lotte.
'Daar ga ik niet van vliegen,' zegt Jan.
In de verte slaat de klok één uur.
'O jee!' roept Jan.
'Over een uur moet ik bij Bartolomeus
Lont zijn.
En ik heb nog steeds geen plan.'
'Konden we ook maar vliegen,' zegt
Bange Lotte.
Jan kijkt haar aan.
Opeens krijgt hij een idee.
'We kunnen wel doen alsof jullie
allemaal kunnen vliegen.'
'Hoe dan?' roepen de andere
drie door elkaar heen.
Rubens gezicht is spierwit.
'Moet dat echt?
Ik heb heel erg hoogtevrees.'
Jan schudt zijn hoofd.
'Luister, dan leg ik uit wat we
gaan doen.
En hoe we het goud weer
teruggeven aan de bank.'

## 18  De valstrik

Bartolomeus Lont loopt door de straat in
de richting van de Kredietbank.
Hij heeft een brief in zijn hand.
Die vond hij toen hij de deur uit ging.

ik zal er zijn, maar kom
naar het rode bakstenen
gebouw aan de overkant
De deur staat op een kier
Ik wil niet dat iemand
anders ons ziet.

J.

Eerst was Bartolomeus heel boos
geworden.
Wie dacht die Jan wel dat hij was?
Hij was niet de baas!
Maar toen Bartolomeus wat langer had
nagedacht, kwam het hem ook wel beter
uit.
Het was misschien wel goed als ze niet
samen werden gezien.
Hij had die Jan nu toch in zijn macht.
Jan zou nu alles doen wat hij van hem
vroeg.
Anders dreigt hij gewoon met de politie
of het circus.
Maar voorlopig wil hij hem even voor
zichzelf houden.
Wie weet waar dat nog goed voor kan
zijn.
Bartolomeus staat nu bij de hoofdingang
van het bankkantoor en kijkt naar de
overkant.
Bij het rode baksteen gebouw is een
grote deur.
Maar die deur staat niet op een kier,
zoals Jan schreef.
Bartolomeus loopt er met grote stappen
naartoe.
Boos drukt hij op de bel.
'Doe die deur open!' gilt hij door de
brievenbus.
'Je bent erbij.

Ik weet alles.
Als je nu niet opendoet, ga ik naar de
politie en vertel ik alles.
Ook over het goud!'

Boris Grijpgraag trekt wit weg als hij de
stem van Bartolomeus Lont hoort.
Gouden Pietje wil hem al smeren.
Boris grijpt hem in zijn kraag.
'Hierrrrrrrr!' brult
hij ziedend van woede.
'Je denkt toch niet dat ik me dat goud
zomaar laat afpakken?'

Hij drukt op de elektrische deuropener.
'Ik ga dat varkentje wel even wassen,'
zegt hij vastberaden.

Bartolomeus hoort het zoemende geluid
van de elektrische deuropener.
Hij duwt tegen de deur en gaat daarna
naar binnen.
'Je bent erbij, vervelende vlo!' roept hij
naar boven.
'Kom tevoorschijn.
Nu!'
Langzaam loopt hij de trap op.
Waar zou dat onderkruipertje zijn, denkt
hij.
Opeens wordt hij van achteren
beetgepakt.
Iemand houdt een hand voor zijn mond.
'Help!' wil hij roepen, maar hij kan zijn
mond niet bewegen.
Er staat een man voor hem.
'Dus jij wou ons verlinken, kleine
dikzak,' zegt Boris Grijpgraag.
Bartolomeus kijkt hem met angstige ogen
aan.
Hij begrijpt er helemaal niks van.
Wat doen die mannen hier?
'Bind hem vast!' roept Boris naar Pietje.
'Laat me los!' gilt Bartolomeus, als Pietje
zijn hand van zijn mond af haalt.
'Help!' gilt hij.

'Help!
Laat me los.'
'Doe een zakdoek voor zijn
mond,' beveelt Boris.
'Ik wil niet dat dit krijsende
varken de hele buurt bij
elkaar gilt.'
Even later zit Bartolomeus
vastgebonden op een stoel
met een zakdoek om
zijn mond.
'Wat doen we nu,
baas?' vraagt Pietje
bezorgd.
'Waar gaan we
naartoe?
Straks gaan ze dat
kind zoeken en dan
zijn we erbij.'
Boris loopt heen
en weer door
de kamer.
'Laat me denken,'
zegt hij.

Buiten voor de deur staan Super Jan,
Bange Lotte, Jimmy Wezel en Ruben
Haas.
Pas toen ze Bartolomeus naar binnen
zagen gaan, durfden ze uit de steeg te
komen.

Ze hebben hun gezichten en armen groen
gemaakt met waterverf.
Om hun nek hebben ze een wit laken
geknoopt.
Ze hebben net Bartolomeus horen gillen
van schrik.
Lotte kijkt naar Jan.
'Voel je je al sterk worden?'
Jan knikt.
'Ga maar op de
putdeksel zitten,'
zegt hij.
Dan tilt hij zijn
vrienden op.
Langzaam stijgen
ze op, vier groene
ruimtewezens.

Bartolomeus zit vastgeketend op een
stoel.
In zijn mond zit een prop.
Als hij naar buiten kijkt, ziet hij ineens
vier groene wezens voor het raam
zweven.
Zijn ogen worden groot van schrik.
Een van de wezens blaast en het raam
barst open.

Door de kracht van het blazen vliegen de
twee boeven en Bartolomeus door de
kamer.
Kreunend blijven ze liggen.
'Maak hem los!' roept Jan tegen de
anderen.
Hij wijst naar Bartolomeus.
De twee boeven proberen voorzichtig op
te staan, maar Jan houdt ze tegen.
Met het touw waarmee Bartolomeus was
vastgebonden knoopt hij de boeven aan
elkaar vast.
Bartolomeus vraagt met een zacht
stemmetje of hij weg mag.
'Waar naartoe?' vraagt Bange Lotte,
zonder een tril in haar stem.
   'Naar huis,' piept Bartolomeus.
   'Geen sprake van,' zegt Lotte nog
stoerder.
   'Vertel jij het hem?' vraagt ze aan
      Ruben.
      'Wat?' vraagt Ruben.
   'Nou, dat hij met ons meegaat
   in het ruimteschip.'
   Bartolomeus' ogen vallen bijna
      uit hun oogkassen.
'Nee, nee!
      Alsjeblieft, laat me hier
      blijven,' smeekt hij.
'Je moet,' zegt Jimmy, die er nu ook bij is
komen staan.

'Waar is de groene verf?
We moeten zijn gezicht groen verven.
Anders denkt het slurpmonster dat we
een lekker hapje hebben meegenomen.'
Bartolomeus valt op zijn knieën.
'Alsjeblieft, laat me hier.
Ik doe alles wat jullie van me willen.'
De tranen staan in zijn ogen.
Jan krijgt medelijden met hem.
Pesten is helemaal niet leuk.
Zelfs niet als je het zelf doet.
'Wat denken jullie ervan?'
zegt Jan.
'Zullen we hem maar hier laten?'
De andere drie doen alsof ze met elkaar
overleggen.
Ze komen bij Jan staan.
Ruben neemt het woord.
'Je mag hier blijven.
Maar als we nog één keer merken dat je
een dier of een kind pest, komen we je
ophalen.
We houden je in de gaten.
We kunnen in dieren en kinderen
kruipen zonder dat ze het doorhebben en
daarna weer verdwijnen.'
'Ook in mijn goudvis?' vraagt
Bartolomeus.
'Zelfs in een mug,' zegt Lotte giechelend.
'Nou, wat is je antwoord?' vraagt Jan.
'Ik b-beloof het,' stamelt Bartolomeus.

Jan gaat bij het open raam staan.
'Kom!' roept hij naar zijn drie vrienden.
'Wat doen we nou met de boeven?'
vraagt Jimmy.
'Dat mag Bartolomeus doen.'
'Ik?' vraagt Bartolomeus bang.
'Ja, jij,' zegt Jan.
'Je gaat nu naar de politie en de beloning
van de bank geef je aan het dierenasiel.
En je vertelt meteen dat je het
ruimtewezen hebt verzonnen.
Denk erom, we houden je in de gaten.'
Bartolomeus knikt verlegen.
Dan rent hij er als een haas vandoor.
Ruben, Lotte en Jimmy pakken Jan goed
vast en met z'n vieren schieten ze door
het raam.

# De Dagelijkse Bode

**LUCHTSPIEGELINGEN**

Gisteren werd dankzij het optreden van Bartolomeus Lont de misdaad van de eeuw opgelost.
Twee mannen die ervan worden verdacht het goud uit de kluis te hebben gestolen, werden aangehouden.
Bartolomeus schenkt de beloning aan het dierenasiel.
Hij heeft de politie ook verteld dat hij het ruimtewezen had verzonnen.
Op de vraag waarom, wilde hij geen commentaar geven.
Bartolomeus zal thuis veel uit te leggen hebben.
Maar zijn moedige gedrag maakt veel goed.
Liegen is nooit goed te praten, maar de waarheid achteraf vertellen is ook moedig.
De heer Lont senior heeft overigens ook veel uit te leggen.
Wilde hij niet een slaatje slaan uit de situatie?

Was hij ook niet degene die alle verzekeringen introk?
Jammer dat er lieden zijn die misbruik maken van paniek.
En dat allemaal alleen voor hun eigen voordeel.
De kansen dat de heer Lont senior ooit burgemeester zal worden, zijn voorgoed verkeken.
Een koninklijke onderscheiding kan hij ook op zijn buik schrijven.

Toch blijven er een heleboel vragen onbeantwoord.
Zagen we dingen omdat we die heel graag wilden zien?
Er is niks fout aan het hebben van dromen.
Maar om nu alle zaken die fout gaan te wijten aan een ruimtewezen?
Hebben we ons dan allemaal die vliegende beer ingebeeld?
Waren het soms vogels?
Maar hoe waren die twee bange kinderen uit het rad gered?

En hoe zit het met het gestolen clownspak van Peppino?
De twee misdadigers blijven
volhouden dat ze hulp hebben gehad van ruimtewe-
zens.

Ze zeiden bedreigd te zijn
door vier groene marsman-
netjes.
Waarschijnlijk zullen we
nooit weten hoe het precies
zit.

Jan laat de krant zakken.
Lotte, Jimmy en Ruben zitten om hem
heen.
Het is de dag nadat de twee boeven zijn
opgepakt.
'Ik vind het best wel zielig hoe we
Bartolomeus bang hebben gemaakt,' zegt
Ruben.
'Het was wel nodig,' antwoordt Jan.
'Ik ben nergens meer bang voor,' zegt
Lotte.
'Wij ook niet!' roepen Jimmy en Ruben.
'Zeker niet met jou in de buurt.'
Jan schudt zijn hoofd.
'Gisteravond was er een vallende ster.
Toen heb ik gewenst dat mijn
superkracht over zou gaan.'
'Best wel jammer,' zegt Ruben.
'We kunnen het voortaan best wel zelf,'
vindt Lotte.
De anderen geven haar daar helemaal
gelijk in.

Later die avond, als de drie vrienden
naar huis zijn gegaan, loopt Jan nog even
in de tuin.
Langs de oprit van het huis van de buren
staan het kanon en de magneet.
Meneer Stromboli staat er een beetje
treurig bij.
'Gooit u het allemaal weg?' vraagt Jan.
Meneer Stromboli knikt.
'Dat moet van mevrouw Stromboli.
Of ik eruit, of het kanon en de magneet
eruit, zei ze.
Ik hou van Stromboli, maar ik hou nog
meer van mevrouw Stromboli.
We gaan samen een bootreis op de Rijn
maken.'
'Dus u gaat niet naar Stromboli?' vraagt
Jan.
'Nee, Jan.
Nog niet.
Voorlopig blijft het een droom.
Misschien valt het wel tegen als we er
zijn.
Bovendien, zo'n vulkaan is niet
ongevaarlijk.

Als dat ruimtewezen echt was geweest,
had hij mooi de vulkaan uit kunnen
blazen.'
Jan lacht.
Je weet maar nooit, denkt hij bij zichzelf.
Hij heeft gisteravond trouwens helemaal
niks gewenst.
Het is best wel handig om sterk te zijn.
Maar dat hoeft niemand te weten.

Het is begonnen te regenen.
Jan gaat naar binnen.
Gauw zet hij de pannetjes weer klaar
onder het lekkende dak.
Gelukkig is alles weer gewoon.